D1538378

MARC BROWN

ARTHUR
part en vacances

épigones

Pour Melanie Kroupa,
qui en a vraiment besoin !

traduit par Natalie Zimmermann

© 1993, by Marc Brown.
© 1998, Éditions Épigones,
ISBN 2-7366-5309-2 pour l'édition française.
Dépôt légal : mai 1998, Bibliothèque nationale.
Imprimé en CEE.

C'est le dernier jour d'école d'Arthur.
Monsieur Ratburn donne à sa classe un dernier
contrôle d'orthographe.
Toutes les autres classes font la fête.
    – Voici enfin le moment que vous
        attendez tous, dit monsieur
            Ratburn. Donnez-moi
                vos feuilles et...

... L'école est finie ! Tout le monde applaudit.
– Qu'est-ce que j'ai hâte de commencer mon stage de tennis, dit Francine.
– Je vais suivre un cours d'informatique, annonce Lumière.
– Arthur, tu vas me manquer à la colo, dit Buster.
– J'aimerai tellement ne pas partir en vacances avec mes parents, se lamente Arthur. Il n'y aura rien à faire, ni personne avec qui jouer.
– Tu auras Didiminou, dit Buster en souriant. Pendant toute une semaine.
     – Ne m'en parle pas, dit Arthur.

La famille d'Arthur passe la soirée à faire
les bagages.
– J'aimerais tant prendre ma maison de poupée,
regrette Didiminou.
– J'aimerais tant emmener Buster, dit Arthur.
– Ce sont des vacances en *famille*,
décrète maman.

> – Nous n'aurons besoin que les uns
> des autres pour nous
> amuser, assure papa.
> – On prend ma balançoire,
> propose Didiminou. Ça
> peut toujours servir.

– Bon, tout est prêt, dit papa le lendemain matin.
Où est Arthur ?
– Il téléphone à Buster, répond maman.
– Pour la centième fois, ajoute Didiminou.
– Avant de partir, dit papa, quelqu'un a-t-il
besoin d'aller aux toilettes ?
– C'est votre dernière chance, annonce maman.
– Pas la peine de me regarder, proteste
Didiminou.

– Enfin partis, dit maman avec un sourire.
Toute une semaine sans cuisine à faire !
– Et sans vaisselle ! renchérit papa.
– Toute une semaine sans voir une seule fois
mon meilleur ami, gémit Arthur.
– Tu te sentiras mieux dès que tu seras à la plage,
assure papa.
– Quand est-ce qu'on arrive ? demande
Didiminou. Il faut que j'aille aux toilettes.

Arthur passe le reste du voyage
à penser à tout ce que Buster
va faire à la colo.

– Nous y sommes, s'exclame maman.

– Bienvenue au Motel de la Plage, dit le directeur.

– Où est la plage ? demande papa.

– Juste de l'autre côté de l'autoroute, derrière le centre
   commercial. Mais nous avons une piscine ici.

   – Bon, je crois que je vais aller me baigner,
      dit Arthur.

   – Moi aussi, déclare Didiminou. Attends-moi !

   – Allons d'abord voir la chambre, dit maman.

– On ne va quand même pas devoir rester dans cette chambre minuscule ? s'écrie Didiminou.
– Ne t'en fais pas, dit maman. Ce sera juste pour dormir.
– Si tu veux nager, dit Arthur, dépêche-toi de mettre ton maillot de bain.

– On a la piscine pour nous tout seuls,
remarque Arthur.
– Heureusement, grogne Didiminou.
Parce que notre baignoire est plus grande que ça !

Ce soir-là, au restaurant, tout le monde commande du homard
– Buster adore le homard, dit Arthur.
– C'est ça, du homard ? demande Didiminou.
Je veux un hot-dog.

– On pourra aller à la plage, demain ?
demande Arthur.
– Bonne idée, dit papa. Je suis sûr qu'il ne pleuvra plus.

– Pas de plage aujourd'hui !
annonce Didiminou, le lendemain matin.
– J'ai rêvé de Buster, dit Arthur.
– Pourquoi ne lui écrirais-tu pas une carte ?
propose maman.
– Pourquoi ne pas tous écrire des cartes postales ?
dit papa.
– Mais de quoi on va parler ? demande Didiminou.
On n'a encore rien fait !

– Qu'est-ce qu'on fait, maintenant ? demande
Didiminou. Ces vacances sont une catastrophe.
– À la colo, il y a toujours un truc rigolo à faire,
pense Arthur. Même quand il pleut.
– Je sais, dit-il, on va aller faire un tour
            à la campagne.

– Je n'avais jamais entendu parler d'une fête
des vaches, remarque Didiminou. Mais c'est quand
même plus amusant que de rester dans la chambre.
– Faites un grand sourire, dit papa.
– Dépêchons-nous ou nous allons manquer le concours de
traite, dit Arthur.

Les jours suivants, il tombe des trombes d'eau, mais Arthur s'en moque. Il est trop occupé à dénicher de nouveaux buts de promenade. Buster ne lui manque plus tant que ça.

Mercredi, ils vont à Crocoville.
– Les alligators, ils peuvent nager, eux au moins, commente Didiminou.

Jeudi, ils ne s'ennuient pas non plus.
Après une visite à la fabrique de caramel Flo,
ils vont tous faire une croisière en pleine jungle.

– Je ne m'étais jamais rendu compte qu'on pouvait autant s'amuser sous la pluie, dit papa.

– Moi aussi, je propose une sortie, dit Didiminou.
Au cinéma.

Mais une fois au cinéma, Didiminou a trop peur pour regarder.
– Je croyais que c'était un film sur les poissons, murmure-t-elle.

Vendredi enfin, le dernier jour, le soleil apparaît.
– Quelle journée ! s'écrie papa.
– Magnifique ! assure maman.
Même Didiminou s'amuse.

33

Personne n'a envie de partir. Mais, le lendemain, ils doivent faire les bagages et rentrer à la maison.
– On y est presque, annonce maman.
– Ouf ! fait Didiminou. Il est vraiment temps que j'aille aux toilettes.
– Oh là là ! dit Arthur. J'ai hâte de voir Buster.

Dès qu'ils sont rentrés, la sonnette retentit. C'est Buster.
– C'était bien, la colo, dit-il à Arthur. Mais tu m'as manqué. Comment se sont passées tes vacances ? Toi et Didiminou, vous vous êtes bien amusés ?
– Super ! dit Arthur. Regarde.

35

– Ouah ! fait Buster. Ça a l'air génial.